LES GRANDES ÉNIGMES DE L'HISTOIRE

Anouk Journo-Durey

Les grandes énigmes de l'histoire

L'homme au masque de fer

Illustrations
de Raphaël Gauthey

bayard poche

À Benoît.

Merci à Véronique Minder.

2e tirage : mars 2017
18 rue Barbès, 92120 Montrouge
ISBN : 978-2-7470-4679-4
Dépôt légal : juin 2013

Loi n°49-956 du 16 juillet 1949 sur les publications destinées à la jeunesse.
Imprimé en France par Pollina - L79665A.

Avant-propos

Ce récit s'inspire de faits réels.

En 1771, Louis XV règne dans un climat instable qui annonce peut-être déjà la révolution de 1789. Le peuple n'a plus foi en son roi, d'autant que des rumeurs circulent à propos de son prédécesseur et arrière-grand-père : Louis XIV aurait eu un frère aîné secret qu'il aurait jeté en prison afin de pouvoir garder le trône. L'homme serait resté emprisonné pendant trente-quatre ans, contraint de porter un masque de fer, avant de mourir à la Bastille en 1703. Voltaire lui-même l'écrit… Et on le croit. Soixante-dix ans plus tôt, le marquis de Barbezieux, secrétaire d'État à la Guerre de Louis XIV, avait déjà répandu cette rumeur. Bien que, par la suite, on ait expliqué que c'était pour se venger de ne pas avoir été nommé au Conseil d'en haut, l'organe suprême de la monarchie, la graine du doute à propos d'un certain Masque de fer avait été semée. Elle engendra des évènements tumultueux, riches en coïncidences… Ces coïncidences qui créent parfois l'histoire et ses mystères.

Prologue

30 octobre 1771
auberge de l'Épée,
rue de la Verrerie, Paris

Ce jour-là, il aurait préféré flâner le long des quais de la Seine, et profiter du doux soleil de l'automne…

Ce jour-là, il aurait mieux fait de se taire, se répéterait-il plus tard. Rester discret et travailler comme d'habitude : courir de la cuisine à la salle de restaurant ; s'incliner et sourire ; être à l'affût de la moindre demande, parfois même l'anticiper en offrant un peu plus d'eau, de vin, de pain…

Car les mousquetaires du roi se montraient exigeants ! Ils raffolaient des savoureux repas préparés par le chef Valère, admirateur du célèbre Vatel[1] : les volailles et pâtés, les mijotés de viandes et les potées de légumes… Sous les tableaux représentant d'Artagnan, Athos, Aramis et Porthos, dans la salle qui leur était réservée, les gardes de Louis XV se détendaient le temps d'un déjeuner ou d'un dîner… Et lui, il les servait en silence. Toujours présent mais presque invisible. À quatorze ans, il était employé depuis plus d'un an à l'auberge de l'Épée et, coûte que coûte, il voulait conserver sa place. Donc être irréprochable ; irremplaçable ; original. Ce jour-là toutefois, observant la tablée de cavaliers en uniforme rouge, il remarqua que l'ambiance était inhabituellement tendue. Les cinq gentilshommes touchaient à peine aux plats délicieux qu'il leur apportait

Ils parlaient vivement, avec nervosité, et fort… Très fort.

Malgré lui, il captait des bribes de leur conversation. Il aurait préféré ne rien entendre. Ce qui parvenait à ses oreilles lui rappelait un étrange secret de famille qu'il croyait être une légende…

– La rumeur prend beaucoup trop d'ampleur ! déclarait l'un des mousquetaires. Le roi en a assez… Nous devons enquêter !

– C'est à cause des écrits de Voltaire, renchérit son voisin. Ce fauteur de troubles accuse Louis XIV d'avoir embastillé un soi-disant frère aîné pendant trente-quatre ans… Les conséquences sont dramatiques pour Louis XV. Lui qui n'est déjà plus le « Bien-Aimé » aux yeux du peuple…

1. François Vatel (1631-1671) fut le traiteur, pâtissier, maître d'hôtel et gastronome de talent au service, entre autres, de Nicolas Fouquet pendant le règne de Louis XIV.

– Dorénavant, il est le « Mal-Aimé », lâcha un troisième soldat, plus âgé et imposant, sans doute le capitaine. Oui, cette rumeur est dangereuse comme la bête du Gévaudan… Peut-être plus encore ! Cette bête-là, nous l'avons abattue il y a six ans ! De plus en plus intrigué, le jeune serveur tendit discrètement l'oreille…

– Il est plus facile d'organiser une battue pour traquer un loup que de maîtriser des ragots ! s'énerva l'un des mousquetaires. Nous ne possédons aucune preuve de l'identité du Masque de fer. Toutes ses affaires ont été brûlées après sa mort en 1703 ! Il paraît qu'on a même gratté les murs de sa cellule pour être certain que rien n'était inscrit dessus. Décidément, non, nous ne détenons aucune preuve, répéta-t-il en secouant la tête.

– Et si c'était faux ? intervint le garçon.

Il regretta aussitôt d'avoir pris la parole…

Trop tard.

Face aux regards qui le scrutaient avec irritation, il balbutia :

– Excusez-moi… Malgré moi, j'ai entendu ce que vous disiez et…

– Quelle outrecuidance, galopin ! tonna le capitaine.

– Pardon… C'est que…

Il ajouta hâtivement, sans réfléchir :

– Mon arrière-grand-père s'appelait Antoine Rû. Il était porte-clés à la Bastille à l'époque du Masque de fer ! C'était lui qui lui apportait à manger, qui déverrouillait la porte de sa cellule quand il recevait des visites… Une de ses clés est accrochée chez moi en souvenir. Elle n'est même pas rouillée, précisa-t-il avec fierté.

Chapitre 1

Atelier de ferronnerie de la famille Dufeux, rue des Charrons, Paris

Il régnait une odeur de métal rougi, de feu, de fumée. La forge fonctionnait sans discontinuer, et le fer était frappé, manié puis transformé en clés, serrures, pièces de coutellerie…

Maître ferronnier réputé, Paul répondait parfois à des commandes plus importantes : une balustrade de balcon, une grille ouvragée… Celle qu'il venait de recevoir de la part des services du comte de Jumilhac, le gouverneur de la Bastille, était des plus inhabituelles : un masque de fer pour l'un des captifs. On avait exigé qu'il agisse au plus vite, et il serait grassement payé.

– Cette commande tombe à point nommé. On a tant besoin d'argent… Peut-être pourrons-nous nous offrir un nouveau cheval ! se réjouit Paul en s'activant sous le regard admiratif de son fils. Antonin l'observait attentivement afin de mémoriser les gestes précis qu'il effectuait. À treize ans, il ne tarderait pas à maîtriser les techniques les plus secrètes de la ferronnerie d'art. Plus tard, il reprendrait l'atelier, tout comme son père avait succédé au sien. Dans la famille, ils étaient artisans ferronniers depuis plus d'un siècle. Leur renommée n'était plus à prouver.

– Je me demande pourquoi on nous fait fabriquer un masque de fer, murmura Antonin, songeur. Si ce n'est pas pour aller combattre, je veux dire…

– Eh bien, figure-toi que certains prisonniers, les nobles surtout, veulent être masqués.

– Pourquoi ?

– Pour ne pas être reconnus, pardi ! La plupart sont libérés tôt ou tard, et ils redoutent le qu'en-dira-t-on. Mais la coutume est plutôt au masque de velours… En fer, oui, c'est surprenant.

– Et on ne peut plus inconfortable…

Paul et Antonin se retournèrent vers le vieil homme qui venait de prendre la parole. Grand-père Alexandre était grand, un peu voûté, avec des yeux étonnamment jeunes et perçants malgré son âge. L'un était bleu-vert, l'autre noisette – des yeux vairons, avait appris Antonin, qui avait hérité de cette caractéristique de son aïeul. Une originalité qui lui attirait quelquefois des moqueries… On croyait qu'il n'était pas normal ! Antonin s'empara alors de la plaque en forme de visage que son père était en train de façonner. Les trouées pour les yeux, le nez et la bouche avaient déjà été ciselées. Il plaça le futur masque devant sa figure et déclara d'une grosse voix :

– Je suis l'hoooooomme au Maaaaasque de fer ! Hé, on ne respire pas, là-dessous ! ajouta-t-il d'un ton dégoûté. C'est un instrument de torture !

– Repose ça immédiatement ! ordonna son grand-père. On ne peut pas rire de tout dans la vie !

– Mais je ne ris pas…

– Et tu es impertinent, en plus ? File ! Hors de ma vue ! lança le vieil homme avec colère.

Stupéfait de cette réaction, Antonin obéit. Le métal ouvragé claqua sur l'établi.

Sans un mot, le garçon quitta l'atelier et sortit dans la rue.

Il adorait son grand-père. Un lien profond existait entre eux depuis toujours. Quand il était petit, grand-pa – c'est ainsi qu'il l'appelait –, lui lisait des histoires le soir, pour l'aider à s'endormir. Il lui avait appris à lire et à écrire pendant que son père travaillait. Parmi leurs camarades artisans, rares étaient ceux qui maîtrisaient ce savoir réservé aux nantis, aux gentilshommes… Antonin se sentait chanceux. Aimé. Très aimé. Quand sa mère était morte, il n'avait que trois ans, et son grand-père, veuf depuis peu, lui avait prodigué une affection sans faille. Jamais il ne s'était montré injuste.

Mais ce jour-là, pour la première fois de sa vie, Antonin eut le sentiment que grand-pa s'était emporté contre lui sans raison. La gorge nouée, il se dirigea vers le marché des Halles, à deux pas de l'atelier. Il y avait foule, et les étals ployaient sous le poids des victuailles. Salsifis, blettes, choux, pommes de terre en abondance, tellement prisées depuis la grande famine de 1769[1]... Le choix ne manquait pas, mais la plupart des gens se contentaient de regarder ou de soupeser pour négocier au rabais. Seuls les mieux vêtus, donc les plus riches, remplissaient leurs paniers. Le royaume allait mal, la pauvreté augmentait chaque jour, et le roi Louis XV ne prenait aucune mesure afin d'aider son peuple. Antonin entendait son père pester régulièrement à ce sujet... Soudain, alors qu'il s'engageait dans une ruelle plus tranquille, on l'interpella :

– Antonin ! Attends-moi !

Il aperçut un garçon aux cheveux bruns en bataille qui le rejoignait en courant. Son ami Théophile...

– Content de te voir... Ça va ? demanda Antonin, remarquant ses traits tirés.

– Non... Euh, oui ! se reprit Théophile. Viens, il faut que je te raconte...

---

1. Réservée auparavant à la nourriture des animaux, la pomme de terre est considérée comme un aliment de base depuis peu de temps grâce à Antoine Parmentier, pharmacien aux armées. Emprisonné quelque temps dans les geôles prussiennes, il a pu constater les vertus nutritives de la pomme de terre et en recommande la consommation pour résoudre le problème des famines qui sévissent encore en France à ce moment-là.

Chapitre 2

La disparition

Ils se dirigèrent vers le faubourg Saint-Antoine au bout duquel se dressaient les remparts de la Bastille. De loin, la forteresse ressemblait à une montagne noire prête à engloutir ceux qui s'en approchaient trop…

Heureusement, les rues des alentours bruissaient d'une joyeuse animation. Des paysannes tiraient des ânes, parfois de petites charrettes, chargés de fruits, légumes, pots de lait et œufs de leur ferme. Le faubourg fourmillait d'ateliers de cordonniers, menuisiers, serruriers… Les artisans travaillaient à l'extérieur comme à l'intérieur de leur échoppe, et d'un geste ou d'une parole, parfois en chantant, ils essayaient d'attirer le chaland. Marchant à côté de Théophile, Antonin pensa que sa famille avait de la chance de posséder un atelier dans un quartier voisin, où la concurrence était moins rude. En même temps, ce n'était pas par hasard. Ne comptaient-ils pas parmi les meilleurs sur la place de Paris ? Grand-pa et son père aimaient le répéter…

– Assez ! On en a assez ! Personne n'a de quoi payer nos marchandises ! cria soudain une poissonnière qui haranguait la foule à l'aide d'un long tuyau de fer blanc. Le roi nous assassine !

– Que pourrait-on espérer du descendant d'un imposteur, hein ? renchérit une autre harengère, debout devant son étal. Louis XIV a fait emprisonner son frère… Il n'aurait jamais dû monter sur le trône !

– Calomnie ! lança un marchand de légumes à quelques mètres. Tissu de mensonges ! Vive le roi !

– À bas Louis XV !

– Vive le roi !

– Tais-toi ! hurla la poissonnière. Vous en pensez quoi, vous, hein ? poursuivit-elle en s'adressant à la cantonade.

– Vite, filons d'ici avant que ça ne dégénère, dit Théophile. Les mousquetaires ne vont pas tarder…

Ils accélérèrent le pas et gagnèrent une rue plus tranquille. Jetant un bref coup d'œil à son ami, Antonin remarqua qu'il était très pâle.

– Qu'est-ce que tu as ?
– Mal au ventre… La fatigue, sûrement.
– Tu travailles trop.
– Tout le temps. Sept jours sur sept. Je n'ai pas le choix…
Antonin était au courant. Le père de Théophile, sentinelle à la Bastille, gagnait peu. Et sa mère attendait son cinquième enfant. Une cinquième bouche à nourrir… Théophile lui avait souvent confié que ses parents s'inquiétaient de leur avenir, et qu'ils comptaient beaucoup sur lui, leur aîné, pour les aider au quotidien.
– Au fait, qu'est-ce que tu voulais me raconter ? demanda-t-il.
– Oh… Je ne sais plus, fit Théophile, évasif. Et toi, ça va ?
– Oui. On a beaucoup de travail à l'atelier.
– Tant mieux !
Puis ils parlèrent de tout et de rien en gagnant les bords de Seine. Le ciel était nuageux, et l'air froid leur piquait les joues. Étrangement, Antonin n'évoqua pas le masque de fer qu'on leur avait commandé, ni la colère injustifiée de son grand-père. Il redoutait de fondre en larmes comme un enfant…
Une demi-heure plus tard, après s'être séparé de Théophile, Antonin retourna lentement vers la rue des Charrons. Il pensa de nouveau à grand-pa, et à ce qu'il lui dirait à son retour. Peut-être s'excuserait-il… Mais de quoi ? Il n'avait pas le sentiment d'avoir commis une faute en jouant avec le masque. Non, vraiment, pas du tout ! Et jamais son grand-père ne s'était emporté contre lui sans raison. Jamais. Il avait besoin de comprendre…

Un mouvement de foule interrompit soudain ses réflexions. Des gens s'étaient attroupés devant son atelier, gesticulant comme s'il s'était passé quelque chose de grave. Antonin se mit à courir, imaginant aussitôt le pire: son père avait dû se blesser grièvement…

Parvenu sur place, il trouva la porte grande ouverte. Bousculant les curieux, il s'avança et, le cœur battant, enregistra confusément la scène: le masque de fer jeté par terre, au milieu d'outils éparpillés; un seau d'eau renversé. Le feu de la forge brûlait encore.

Il n'y avait pas eu d'accident mais une bagarre.

– Papa? Grand-pa? cria-t-il.

– On les a emmenés, déclara l'un des curieux qui se pressaient à l'entrée.

– Qui?

– Deux mousquetaires sont venus les chercher il y a cinq minutes à peine, confirma une femme vêtue d'une robe d'épais taffetas violet, et coiffée d'un chapeau de velours noir orné de plumes. Ma fille et moi étions là pour commander un jeu de clés…

– Ils étaient très pressés, renchérit la jeune fille qui l'accompagnait.

En dépit des circonstances, Antonin fut frappé par sa beauté. Elle était brune avec des yeux d'un bleu translucide.

– C'étaient des mousquetaires, tu es sûre?

– Certaine. Mais au début, ton père a refusé de les suivre. Il s'est débattu.

– Qu'est-ce que ça veut dire? murmura Antonin. Il regarda autour de lui en s'efforçant de retrouver ses esprits. Il ne devait surtout pas s'affoler…

Louise – ainsi se prénommait la jeune fille –, et Mme de Valoin, sa mère, insistèrent pour rester un peu avec Antonin. Louise l'aida à remettre quelques outils en ordre. Ramassant le masque de fer, elle l'observa, visiblement intriguée, mais ne posa aucune question. Elles lui proposèrent même de venir se réfugier chez elles, rue des Archives, à quelques pas de la rue des Charrons. Mais Antonin refusa poliment, préférant demeurer sur place au cas où son père et son grand-père reviendraient.

Apparemment bien introduite, Mme de Valoin lui promit que, si cela s'avérait nécessaire, elle parlerait à l'un de ses amis qui connaissait personnellement le lieutenant général de la police de Paris. Elle le tiendrait au courant et, de toute façon, reviendrait rapidement prendre de ses nouvelles.

– Tu n'es qu'un enfant, dit-elle avec douceur avant de partir, alors qu'il se confondait en remerciements.

– J'aurai bientôt quatorze ans, se défendit-il.

– Comme Louise… À tort sans nul doute, je la considère toujours comme une enfant ! insista Mme de Valoin en souriant gentiment. Garde confiance, nous saurons ce qui est arrivé à ta famille.

– Oui, garde confiance, répéta Louise sur le même ton rassurant que sa mère.

Antonin parvint à sourire et les remercia encore. Mais après leur départ il se sentit seul…

Très seul et perdu.

Chapitre 3

Première découverte

Un silence oppressant régnait dans le petit logement situé à l'arrière de l'atelier. La nuit étant tombée, Antonin alluma des bougies un peu partout. Concentré sur ses gestes afin de ne pas céder à l'affolement, il avait l'impression d'agir comme un automate. Il erra de pièce en pièce, passant de sa chambre, qu'il partageait avec son père, à celle de son grand-père, de la salle à manger à la petite cuisine, retournant à l'atelier étonnamment froid, presque glacial depuis que les flammes de la forge s'étaient éteintes. Puis il se mit à chercher un indice qui lui permettrait de comprendre la disparition de son père et de son grand-père. Peut-être lui avaient-ils laissé un mot ? Il souleva les couvercles des pots et des marmites, regarda sous les lits et dans les armoires, ouvrit les tiroirs, fouilla les étagères, les coins et les recoins... Mais ne trouva rien. Au bout d'une heure, peut-être plus, il s'affala, épuisé, dans le grand fauteuil que son grand-père affectionnait. Par endroits, le tissu du siège rembourré était troué, et de la laine s'en échappait. Machinalement, il le tritura tout en s'efforçant de réfléchir. Pourvu que Mme de Valoin puisse l'aider ainsi qu'elle l'avait promis. Finalement, elle devenait sa seule alliée... Sauf qu'il ne la connaissait pas ! Et si elle n'était pas ce qu'elle paraissait être ? Soudain, il se sentait si méfiant... Peut-être pourrait-il plutôt aller voir Théophile et demander conseil à ses parents ? Oui, si nécessaire, c'est ce qu'il ferait demain matin, songea-t-il pour se rassurer. En attendant, il essaierait de ne pas trop s'inquiéter et...

C'est à ce moment-là que ses doigts rencontrèrent quelque chose de dur à l'intérieur du siège. Comme un objet rectangulaire. Surpris, Théophile le palpa quelques secondes puis, piqué par la curiosité, il se leva, déchira le tissu d'un coup sec...

Et extirpa un carnet.

Un petit carnet à la couverture de cuir brune, usée, aux pages jaunies, recouvertes d'une fine écriture à l'encre noire, presque illisible par endroits. Stupéfait, il le feuilleta avec précaution à la lueur des bougies. C'était un journal intime ! Un journal écrit très longtemps auparavant... en 1703 !

19 octobre

Aujourd'hui, c'est mon anniversaire.

Écrire, pour moi, c'est me sentir libre. Heureusement que je sais écrire. J'ai appris grâce à l'aumônier de l'orphelinat : comme je ne parle pas, il m'a enseigné l'écriture et la lecture. En vérité, je pourrais parler, mais je bégaie et j'en ai tellement honte. On s'est trop moqués de moi quand j'étais petit. Je les ai tous détestés. Je les déteste encore.Maintenant, tout le monde me croit sourd, muet et bête. Au moins, on me laisse en paix.

J'ai été placé à l'atelier de ferronnerie de maître Jean. On y fabrique des clés et des barreaux de fenêtres pour la Bastille, mais aussi des plaques pour décorer les cheminées et d'autres choses. En ce moment, j'astique le fer, je passe les outils à mon maître, je balaie et je range. Mais maître Jean sait que je connais les lettres… Alors il m'a offert ce carnet pour mes treize ans. Si je travaille bien, il m'adoptera peut-être.

20 octobre

J'ai entendu Margot et Mathilde discuter de moi à la cuisine.

– Ce pauvre Baptiste, il n'arrivera jamais à rien, dans la vie

– Parce qu'il est handicapé… Handicapé ?

C'est comme ça qu'elles me voient.

Un jour, je serai un autre.

Margot est employée par maître Jean et sa femme Olivia.

Elle fait le ménage.

Mathilde est la fille de mon patron.
J'aimerais l'impressionner.
J'aimerais qu'elle m'aime.
Mais je ne compte pas, pour elle.

Hier, Mme Olivia a accouché d'un garçon mais le bébé n'a pas vécu. Maître Jean a pleuré en cachette. Il voulait tant avoir un fils.

23 octobre

À la Bastille, ils veulent embaucher un garçon à tout faire pour servir un vieux prisonnier…

Un prisonnier pas comme les autres : il est enfermé dans les pires prisons du royaume depuis plus de trente ans, et personne ne doit lui adresser la parole, ni voir son visage.

Il paraît qu'il porte un masque de fer.

Il paraît que c'est une sorte de prince.

Maître Jean a parlé de moi parce qu'un « sourd et muet serait parfait pour ce travail ». C'est le gouverneur de la Bastille qui l'a dit.

J'irai ! Moi ! Travailler là-bas ! Pendant quelques semaines ou plus. En louant mes services, maître Jean recevra beaucoup d'argent et il en a besoin : Mme Olivia est malade et il veut trouver les meilleurs médecins de Paris.

Peut-être que Mathilde s'intéressera à moi si je suis au service d'un prince à la Bastille !

La gorge sèche, Antonin relut ces dernières lignes. Sa grand-mère ne se prénommait-elle pas Mathilde ? Et son arrière-grand-père Jean ? Quels rapports avaient-ils avec ce Baptiste, l'auteur du carnet ? La flamme des bougies créait des ombres mystérieuses sur le papier jauni. Incrédule et fasciné, il poursuivit sa lecture…

30 octobre

Ce matin, je suis allé à la Bastille pour la première fois. Quand j'ai franchi le pont-levis…

Chapitre 4

Soixante-huit ans plus tôt...
30 octobre 1703,
forteresse de la Bastille

Baptiste franchit le pont-levis qui enjambait les douves remplies d'une eau verdâtre et croupie. Il frissonna en pensant à tous les condamnés qui ne traversaient ce pont fatidique qu'une seule fois...

À cet instant, lui-même avait presque l'impression d'être comme eux. Maître Jean avait chèrement vendu ses services sans lui demander son avis. Il était taillable et corvéable à merci.

Deux gardes l'escortèrent dans la cour principale encadrée de tours aux pierres noires et hérissées de créneaux. Un chemin de ronde les reliait, parcouru par des sentinelles armées.

La gorge nouée, Baptiste jeta un coup d'œil autour de lui. Les épais murs gris suintaient la souffrance et l'oppression…

– Hé, le gamin, regarde, celle-là s'appelle la Liberté ! dit l'un des gardes en désignant l'une des tours. Tu parles d'un nom…

– Inutile de lui causer, c'est un sourd-muet, lança le deuxième garde.

– Sourd-muet ? Mais qu'est-ce qu'il vient faire ici ? Il se jette dans la gueule du loup !

Baptiste garda les yeux fixés dans le vague. Au fil des années, il avait appris à cultiver cette attitude d'apparente indifférence. Son silence était comme un masque de protection.

N'empêche, là, il se sentait terrifié.

Ils gagnèrent une deuxième cour, plus petite, au bout de laquelle se dressait une maison : celle de M. de Saint-Mars, le gouverneur de la prison.

Baptiste fut conduit dans un vaste bureau richement meublé. Un homme âgé, coiffé d'une perruque blanche et poudrée, vint à leur rencontre. Il était courbé, à peine plus grand que Baptiste, et son regard acéré évoquait celui d'un rapace.

– Vous voilà enfin ! Vous en avez mis du temps ! Rosarges, où êtes-vous ? Rosarges !

Un homme au teint vérolé et aux épais sourcils roux se précipita aussitôt dans la pièce.

– Monsieur le gouverneur ?

Baptiste remarqua les vilaines verrues qui poussaient sur son nez.

L'un comme l'autre étaient aussi repoussants que cette prison !

– Où étiez-vous ? glapit M. de Saint-Mars. Vous savez bien que nos minutes sont comptées !

Puis il se tourna vers Baptiste :

– Toi, approche !

Après une brève hésitation, le garçon avança de quelques pas.

– Approche encore ! Dépêche-toi ! ordonna Saint-Mars sans ménagement.

Mais Baptiste ne bougea plus. Le gouverneur voulait peut-être s'assurer qu'il n'entendait effectivement rien…

Exact. Le commentaire ne tarda pas :

– Sourd comme un pot ! C'est parfait ! Je n'aurais pas pu espérer mieux.

– Mais comment allons-nous lui expliquer sa tâche ? interrogea M. Rosarges.

– Réfléchissez, bougre d'imbécile ! Son patron m'a affirmé qu'il sait lire et écrire !

– Je l'ignorais, monsieur.

– Monsieur le gouverneur !

– Monsieur le gouverneur, rectifia poliment M. Rosarges. Il suffit donc de lui rédiger nos consignes.

– En effet… Et sur-le-champ ! Ensuite, allez chercher le porte-clés Rû, et qu'ils se mettent au travail ! L'emploi de cet idiot me coûte assez cher !

Cet idiot…

Baptiste crispa involontairement les poings.

– Son embauche vous décharge de l'embauche d'un valet, monsieur le gouverneur, observa M. Rosarges.

– Occupez-vous de vos affaires et écrivez !

L'air résigné, M. Rosarges s'assit à une table d'acajou et, d'un geste solennel, s'empara d'une plume qu'il trempa dans un encrier de cristal.

– Emploi du temps de Baptiste X, énonça-t-il tout en libellant le document. « X » ? Pas de nom de famille ?

– Non, et c'est très bien ainsi ! Poursuivez !

En les écoutant mine de rien, Baptiste se demanda si M. de Saint-Mars se montrait toujours aussi exaspéré et… exaspérant. Oh que oui ! apprit-il par la suite. Geôlier attitré du Masque de fer depuis plus de trente ans, devenu aussi célèbre que fortuné grâce à cette mission commanditée par Louis XIV et son ministre Louvois, il ne se prenait pas pour n'importe qui…

– Baptiste X travaillera de 10 heures à 1 heure de l'après-midi chaque jour, sauf contrordre, résuma M. Rosarges. Il devra balayer la cellule, vider les cendres de la cheminée ainsi que le seau d'aisance, changer les draps et le linge, aider notre prisonnier à faire sa toilette et se raser si besoin…

Baptiste se sentit de plus en plus anxieux.

– Antoine Rû apportera le déjeuner au détenu quand Baptiste aura terminé. Il se tiendra derrière la porte qu'il ouvrira à 1 heure précisément pour laisser sortir Baptiste, puis nous procéderons à l'inspection habituelle de la cellule.

Debout, droit comme un I, Baptiste saisit le feuillet sur lequel M. Rosarges venait de rédiger la brève description de sa mission. Il traça une croix en guise de signature. La dernière phrase le fit tressaillir : en aucun cas, il ne devrait divulguer à quiconque ce qu'il verrait, faute de quoi il risquait la peine capitale…

Autrement dit, la mort.

Chapitre 5

Le défi

Le porte-clés Antoine Rû, un homme brun et maigre âgé d'une trentaine d'années, lui parut bien plus sympathique que les deux officiels que Baptiste venait de rencontrer. Rû lui sourit, voulut engager la conversation, mais comme Baptiste ne répondait pas, il esquissa un geste pour lui indiquer qu'il avait compris.

– Motus et bouche cousue à propos du prisonnier : c'est ce que M. de Saint-Mars a toujours exigé. Toi au moins, tu ne risques pas ta peau !

Baptiste ébaucha un faible sourire. Ses jambes flageolaient.

Muni d'un gros trousseau de clés qui cliquetaient à chacun de ses pas, Rû le conduisit dans un long couloir sombre, grimpa un escalier, emprunta un autre corridor et le mena jusqu'à une première porte renforcée de tiges métalliques. Il la déverrouilla et ouvrit une seconde porte qui donnait sur la cellule du Masque de fer…

Une « chambre forte ». Il ne fallait pas moins de quatre clés pour y accéder.

En dépit de son appréhension, Baptiste remarqua qu'ils se trouvaient non loin des appartements de M. de Saint-Mars. Ainsi, le Masque de fer n'était pas détenu dans les tours de la forteresse. Qui était-il donc pour bénéficier d'un tel privilège… Ou d'une si haute surveillance ? Il devait y avoir de bonnes raisons pour l'isoler ainsi…

Le captif était probablement dangereux. Voilà pourquoi tout à l'heure, les deux gardes avaient dit qu'on le jetait dans la gueule du loup…

L'espace d'un instant, Baptiste imagina le pire : le prisonnier était un horrible criminel, une bête sauvage comme celle du Gévaudan, peut-être même un cannibale… D'où son masque de fer qui l'empêchait de déchiqueter ses proies ! En embauchant un sourd-muet, M. de Saint-Mars s'assurait d'un silence total dans le cas d'une attaque…

Maître Jean l'avait envoyé à la mort !

Glacé jusqu'à la moelle, Baptiste voulut ralentir…

Mais au même moment, Rû le poussa à l'intérieur de la cellule. Puis il entra derrière lui et referma le lourd battant qu'il verrouilla aussitôt à double tour.

Le cœur battant, Baptiste s'avança dans une pièce haute de plafond, peu spacieuse, au sol dallé de briques. En un clin d'œil, il remarqua les murs gris et sales, la fenêtre grillagée, la cheminée à hotte où quelques bûches flambaient. Dans un renfoncement sombre, il aperçut une cuvette, une cruche et un seau de métal. Le mobilier se réduisait au strict minimum : une petite table avec des chandelles, un livre de prières, une plume et un encrier, du papier ; une chaise de paille et un vieux fauteuil.

Au fond de la pièce, sur un lit garni d'une couverture brune, le prisonnier, allongé, leur tournait le dos.

– Monsieur, voici votre nouveau serviteur, annonça Rû. Il est sourd et muet, donc si vous aviez besoin de quoi que ce soit, notez-le et je transmettrai à M. de Saint-Mars ou à M. Rosarges.

Il ignorait donc que Baptiste savait lire.

– Je reviendrai tout à l'heure vous apporter votre déjeuner, poursuivit-il.

– Merci, Rû, mais je n'ai pas beaucoup d'appétit, marmonna l'homme sans se retourner. Néanmoins, comme de coutume, apportez mon plateau… Je sais que vous ne mangez pas à votre faim, et je vous donnerai toute la nourriture que vous voudrez.

– Je vous en remercie, monsieur.

Et, après s'être respectueusement incliné, ce qui stupéfia Baptiste,

Rû recula jusqu'à la porte. Il regarda alors Baptiste, hocha la tête peut-être pour l'encourager… Puis il déverrouilla le battant. Les clés cliquetèrent, et la porte se referma derrière lui en claquant.

– Ce fracas des écrous me rend malade ! grommela le détenu. Le dos toujours tourné, il se leva, et Baptiste sentit l'effroi lui comprimer la gorge. L'homme était grand, maigre, vêtu d'une longue veste bleue et d'une culotte moulante qui s'arrêtait au-dessous des genoux, prolongée de bas blancs.

Il pivota lentement…

Baptiste garda les yeux rivés sur la chemise blanche que le prisonnier portait ; une chemise à jabot, aux manches ornées de larges poignets de dentelle. Quelle élégance !

Puis son regard remonta…

Il avait des cheveux blancs, assez longs. Et son visage à la peau très pâle, ridée et sans barbe, n'était pas masqué de fer mais d'un large loup noir.

J'ai peur.

Je ne veux pas y retourner, mais je suis obligé, écrivit Baptiste ce soir-là, une fois qu'il put se réfugier dans la minuscule chambre qu'il occupait chez maître Jean. *Peut-être qu'on veut se débarrasser de moi et qu'on n'a pas trouvé d'autre solution…*

J'ai balayé sa chambre, j'ai fait son lit, j'ai vidé son seau, mais je n'ai pas eu besoin de l'aider à se laver. Tant mieux.

Il ne m'a pas adressé un mot. Évidemment.

Son masque a deux trous à la place des yeux. Qui luisent.

Ses dents sont très blanches, avec de longues canines.

Et si c'était… un vampire ?[1]

Difficile de lui donner un âge. Entre quarante-cinq et cinquante-cinq ans, peut-être plus…

8 novembre

Si c'est un monstre, cela ne se voit pas.

Il a demandé une guitare ! Il l'a écrit sur une feuille qu'il a donnée à Rû.

Rû a encore eu droit à presque tout le déjeuner du prisonnier. Il l'a remercié en faisant une révérence.

M. de Saint-Mars est venu juste avant que je parte. Lui aussi s'est incliné devant le prisonnier ! Pourquoi ?

C'est sûrement quelqu'un de très important. De toute façon, il est habillé comme un seigneur.

Mais quelque chose n'est pas normal, je le sens.

S'il n'est pas un vampire, il est peut-être un maître des poisons ou un sorcier. Il faut être gentil et très respectueux avec lui sinon il lance peut-être un sort maléfique et…

Qui est-il ?

Quel crime atroce a-t-il commis pour être enfermé depuis si longtemps ?

---

1. Au XVIIIe siècle se produit ce qu'on appellera une « épidémie vampirique » : des articles paraissent sur les vampires et les superstitions s'intensifient, nourrissant une peur collective.

Chapitre 6

10 novembre 1703, forteresse de la Bastille

Ce qu'il avait imaginé était complètement faux…

Au fil des jours, Baptiste ne tarda pas à se rendre compte que le prisonnier semblait à peine remarquer sa présence. Pas une seule fois il ne montra la moindre agressivité. Au contraire, il était courtois et étonnamment poli. À son arrivée, Baptiste le trouvait déjà habillé et rasé, installé à sa petite table devant la fenêtre grillagée, en train de lire son livre de prières ou de réfléchir. Il saluait toujours Baptiste d'un signe de tête. En général, il s'était déjà chargé de faire son lit et de ranger ses affaires, ce qui surprenait Baptiste : il n'avait plus qu'à balayer et à nettoyer. Pendant ce temps, l'homme semblait méditer, ou bien il poursuivait sa lecture. Parfois, il écrivait, mais les feuillets étaient systématiquement brûlés le jour même par Rû ou par M. Rosarges, lorsqu'ils inspectaient la cellule. Le prisonnier avait manifestement l'habitude de ce rituel. Silencieux, il fixait des yeux les flammes qui léchaient le papier, le bleuissaient, le tordaient et le transformaient en petits éclats carbonisés.

Mais aujourd'hui, un évènement inattendu se produisit.

Masqué de noir comme à l'accoutumée, l'homme était assis dans son fauteuil…

Et il tenait une guitare ! Une belle guitare au bois blond dont il effleurait rêveusement les cordes.

Son balai et son seau à la main, Baptiste s'immobilisa, stupéfait. Derrière lui, la porte se referma avec son fracas habituel ; les clés cliquetèrent dans la serrure, l'enfermant comme chaque jour.

– Toi…, fit le détenu d'une voix grave et rauque. Toi, c'est le Seigneur qui t'envoie.

Baptiste se figea, comme pétrifié.

– Oui, sûrement le Seigneur… Je l'appelle si souvent ! Il a dû m'écouter. Non seulement tu es là, mais en plus, je dispose maintenant de ce merveilleux instrument…

L'homme gratta quelques cordes, créant une douce mélodie.

– Tu ne m'entends pas, mais peut-être pourras-tu ressentir les vibrations de la musique ?

Et il se mit à jouer un air aux notes claires et nostalgiques.

– C'est une partition de Lully… Jean-Baptiste Lully, précisa-t-il. Curieux, vous avez presque le même prénom ! Lully s'occupait des divertissements musicaux à la cour de Louis XIV, poursuivit-il en ébauchant un sourire songeur. Ce cher Roi-Soleil qui me jeta dans l'ombre il y a si longtemps…

Il continua à jouer et à parler simultanément, avec douceur et précision, comme s'il entonnait une mélopée poétique déjà maintes fois répétée :

« – Lully ? Mort il y a déjà seize ans…
Un 22 mars 1687 précisément.
J'étais alors à la prison d'Exilles,
Une autre forteresse comme la Bastille…
Avant ? J'étais emprisonné à Pignerol,
Un donjon au sommet d'un col,
Dans les Alpes enneigées.
En compagnie de Nicolas Fouquet,
Le puissant ministre et argentier
Que Louis XIV jalousa et fit enfermer… »

Il secoua tristement la tête, les yeux mi-clos :

– Jean de la Fontaine[1] a bercé mon enfance, je ne puis l'égaler, mais rimer est si plaisant !

S'accompagnant toujours de sa guitare, il tenta d'autres rimes :

1. Le poète Jean de la Fontaine (1621-1695) était, entre autres, un proche de Nicolas Fouquet.

« – Quelques semaines après la mort de Lully,

On me transféra dans une autre prison, au milieu de la mer, Sur l'île Sainte-Marguerite fouettée par le grand air. Là, pour la première fois, je dus porter un masque de fer

Sur ordre du gouverneur,

Ce Saint-Mars qui rêve de hauteurs…

Ainsi, pendant tout le voyage,

Il fit croire que j'étais un important personnage ! »

Une quinte de toux l'interrompit et, ayant du mal à reprendre sa respiration, il lâcha sa guitare qui tomba par terre.

Abasourdi, tremblant, Baptiste continua à balayer comme si sa vie en dépendait. Les yeux fixés sur la poussière qu'il rassemblait méticuleusement, il n'osa imaginer ce qui se passerait si jamais le prisonnier – ou quelqu'un d'autre – s'apercevait qu'il entendait…

Chapitre 7

14 novembre 1703, forteresse de la Bastille

Il en était tombé malade pendant trois jours : fièvre, maux de ventre… Maître Jean avait dû l'excuser.

Mais aujourd'hui, il devait y retourner.

La mort dans l'âme, Baptiste franchit l'effrayant pont-levis au-dessus du fossé rempli d'eau croupie. Il marchait les yeux baissés. Il ne voulait rien voir ni rien entendre. Les gardes le saluèrent… Il les ignora obstinément.

Antoine Rû l'attendait avec une impatience non dissimulée. Dès qu'ils furent près de l'escalier menant à la cellule de l'homme au masque, il lui empoigna le bras :

– Où tu étais ? Il n'a pas cessé de te réclamer !

Comme Baptiste demeurait silencieux, il poussa un grand soupir et marmonna :

– Palsambleu, c'est vrai, tu es sourd comme un pot…

Il le mena jusqu'au prisonnier, lança un « Le voilà enfin, monsieur », puis, fidèle à son habitude, repartit en claquant la porte derrière lui.

La gorge nouée par l'angoisse, agrippant son balai et l'anse de son seau, Baptiste s'avança.

Assis dans son fauteuil, masqué et élégamment vêtu comme les dernières fois, l'homme le regarda avec attention. Baptiste s'inclina avec politesse et commença à balayer. Mais ce qu'il redoutait se produisit : la voix grave et rauque s'éleva.

– J'avais peur que tu ne reviennes plus. Tu es le seul à qui je puisse parler…

« Mais je ne veux pas ! », faillit hurler Baptiste.

Il garda les yeux fixés au sol.

– Mon jeune ami…

Quelques notes de guitare retentirent, et Baptiste tressaillit imperceptiblement.

– Je sens que je suis à la fin de ma vie, murmura l'homme en grattant les cordes de son instrument. Dire que je mourrai sans nom…

De plus en plus troublé, Baptiste posa son balai et voulut faire le lit… Mais les draps et la couverture étaient déjà bien tirés.

Tout à coup, il sentit une main musclée lui agripper le bras avec vigueur. Malgré lui, il poussa un cri.

– Ah, tu as quand même de la voix ! marmonna l'inconnu en le dévisageant de nouveau

Ses yeux luisaient derrière son masque, et Baptiste réprima un frisson.

– Assieds-toi… Assieds-toi ! insista-t-il.

Et il l'obligea à prendre place sur la chaise. Sans quitter Baptiste du regard, lui-même s'assit lentement sur le bord du lit.

– Quand je me confesse au père Giraut, je parle de Dieu ou je reste muet… Comme toi. Et pour être franc, je préfère souvent le silence. Nous avons un point commun, toi et moi…

Baptiste crut le voir sourire.

– Car tu es un pauvre bougre que personne ne considère. Tu as tant de tristesse en toi, je le vois bien. Moi aussi, j'ai le cœur lourd…

Chapitre 8

Les murs ont des oreilles

Alors, ignorant le regard affolé que lui lançait Baptiste, il se mit à raconter tranquillement, presque comme s'ils conversaient dans un salon :

– J'ai été incarcéré ici un 18 septembre 1698. Déjà cinq ans… Ou seulement cinq ans ? Le temps passe si curieusement quand on est enfermé vingt-quatre heures sur vingt quatre, seul, sans pouvoir communiquer avec qui que ce soit. Personne n'a le droit de me parler. Et si par malheur, je m'adresse à quelqu'un, je lui fais courir un danger mortel. Tel est le lien qui m'unit au monde !

Le silence… ou la mort.

Il marqua une pause avant d'ajouter d'un air exalté :

– Mais avec toi, quelle liberté ! Ton ouïe est sans vie, je suis donc libre de tout te dire !

Baptiste essaya de se dégager, mais, immédiatement, l'homme le saisit par le bras et le força à rester immobile. Puis il se racla la gorge, toussa, et poursuivit d'un ton presque badin :

– Je n'ai pas de nom, et pourtant, je suis célèbre. Très célèbre depuis… hum… plus de dix ans, je crois. Ma légende débuta en 1687, lors de mon transfert à la prison de l'île Sainte-Marguerite. C'est à ce moment-là que Saint-Mars commença à m'utiliser comme un outil, façonnant sa propre image… Son propre masque de grand homme !

De nouveau, Baptiste voulut se lever…

De nouveau, le prisonnier l'en empêcha.

La peur envahit Baptiste. Une peur aussi noire que le masque de son interlocuteur. Malgré lui, il se trouvait contraint d'écouter son délire…

– Dix-huit ans, alors, que Saint-Mars était mon geôlier ! reprit-il. Il me gardait déjà sous très haute surveillance quand j'étais au donjon de Pignerol. Là-bas, dans cette horrible forteresse, résidaient deux prisonniers autrement plus importants que moi : Fouquet, qui en savait beaucoup sur les affaires de l'État, et le comte de Lauzun, un habitué de la Cour. Lauzun qui s'était amusé avec la Montespan, la favorite de Louis XIV… Qui en fut fort jaloux ! Le Roi-Soleil voulait être le seul à étinceler auprès des dames… Et sur le royaume ! On lui créait de l'ombre ? En prison !

Il se pencha vers Baptiste et chuchota fébrilement :

– Saint-Mars aime briller, lui aussi. Il est flatté d'avoir Fouquet et Lauzun sous sa responsabilité… Mais Fouquet meurt en 1680. Empoisonné, dit-on. Par moi, raconte-t-on aussi. Qui le croit, je me le demande… Qui le croit ? Quelque temps plus tard, Lauzun est libéré. Alors, à Pignerol, Saint-Mars ne détient plus personne… à part des valets. Et moi. Lui, redevenir un simple gardien de prison ? Oh, cela ne lui plaît pas du tout… Mais alors pas du tout !

Baptiste frissonna. Il se recula légèrement, mais encore une fois, telles des griffes, la main de l'homme s'approcha, prêt à le retenir. Alors, figé, Baptiste baissa les yeux, priant pour que Rû revienne vite le délivrer…

L'homme sans visage continua son récit :

– Quand Saint-Mars est nommé gouverneur du fort d'Exilles, il m'emmène. Lorsqu'il est muté à la forteresse de Sainte-Marguerite, il m'emmène aussi. Et là, il me fait porter ce maudit masque de fer… Pour me cacher ? Que nenni ! Il veut qu'on parle de lui ! Ma présence le flatte ! Cet individu est malin… Ce qui n'est pas étonnant chez un ancien mousquetaire anobli par le roi. D'ailleurs, il a bien connu d'Artagnan… D'Artagnan qui, lui-même, arrêta Fouquet ![1]

1. Charles de Batz-Castelmore, comte d'Artagnan (né entre 1611 et 1615, mort en 1673), plus connu sous le nom de d'Artagnan, célèbre mousquetaire de Louis XIV qui lui prouve toute sa confiance en lui demandant d'arrêter Fouquet en 1661.

Ah, Saint-Mars a toujours été jaloux de sa renommée, je le sais… Et Louis XIV l'a laissé libre de créer toutes ces rumeurs autour de moi… Cela l'arrangeait sûrement. La rumeur détourne l'attention du peuple des vrais problèmes : avoir de quoi manger, se vêtir… Moi, je suis logé, nourri et blanchi aux frais de sa Majesté depuis plus d'un quart de siècle ! Moi qui suis le…

Il se mit à tousser violemment, et cette fois, Baptiste se leva d'autorité pour lui apporter un verre d'eau.

– Merci…

L'homme but plusieurs gorgées d'un trait. Ses yeux luisaient comme s'il était fiévreux. Il eut de nouveau une quinte de toux sèche, saccadée, qui paraissait douloureuse. Inquiet, Baptiste désigna la porte du doigt pour lui faire comprendre qu'il pouvait appeler Rû, lequel se tenait forcément derrière la porte. Mais le prisonnier secoua la tête, l'observant avec une attention troublante :

– Tu n'entends vraiment rien ?

Sa voix devint sifflante :

– L'autre jour, je t'ai vu frémir quand j'ai joué de la guitare…

Il se pencha davantage vers Baptiste et le scruta intensément. Pétrifié, Baptiste sentait son cœur cogner à grands coups. Le visage barré d'un épais loup noir se tenait à quelques centimètres du sien, et il en percevait l'odeur légèrement âcre. Pourvu que l'homme n'ait pas la peste…

– Cligne des paupières si tu m'entends. Cligne des paupières !

Baptiste ne cilla pas. Au contraire, mû par un profond instinct de survie, il regarda l'homme droit dans les yeux, l'affrontant silencieusement. Alors, après une brève hésitation, le prisonnier s'affala sur son lit.

– Oh, c'est mieux que de m'adresser à un mur… Oui, c'est mieux…, répéta-t-il d'un ton monocorde qui trahissait son épuisement. Si seulement… Parce que, grâce à Fouquet, je sais l'encre sympathique… Merci à toi, Saint-Mars, de m'avoir toujours bien nourri. Je peux transformer le jus de citron en mots invisibles dans…

Il se tut quelques instants. Oppressé par l'angoisse, Baptiste n'éprouvait qu'une envie : fuir… Fuir ! En même temps, il ne pouvait pas s'empêcher de ressentir de la pitié pour cet homme si mal en point. À présent, allongé sur le dos, les yeux fixés au plafond, il tenait des propos qui paraissaient de plus en plus incohérents :

– Mon cher Saint-Mars, quand tu m'as transféré de la prison de Sainte-Marguerite, après onze ans de captivité dans cette forteresse entourée par la mer, tu as osé me faire voyager comme un prince : dans une chaise à porteurs normalement réservée aux personnes de la Cour ! Mais elle était tellement calfeutrée que j'ai failli étouffer sous cet infâme masque de fer… C'est là que s'aggravèrent mes problèmes pulmonaires… Torture ! Les soldats de notre escorte en ont parlé, la rumeur s'est répandue… Dans tout le royaume, on racontait que toi, Bénigne de Saint-Mars, étais le geôlier d'un monstre… Comme tu as dû t'en réjouir ! En être fier !

Il toussa de nouveau avant de poursuivre, plongé dans ses souvenirs, semblant se parler à lui-même :

– Mais Rosarges venait me voir, lui aussi. Tu as acheté son silence, n'est-ce pas, combien de terres lui as-tu données, peut-être un ou deux châteaux aussi…

Brusquement, des cliquetis retentirent et la lourde porte de la cellule s'ouvrit à la volée. Antoine Rû s'engouffra dans la pièce :

– Monsieur le gouverneur, je vous jure que j'ai entendu des voix ! s'exclama-t-il à l'attention du vieil homme coiffé d'une perruque blanche qui le suivait.

Baptiste sentit son souffle se bloquer. Immédiatement, il se leva et s'inclina avec respect.

– Tu étais assis ? vociféra Saint-Mars. Je te paie pour balayer, pas pour bavarder !

– Comment pourrait-il bavarder, il est sourd comme un toupin ! grommela le prisonnier.

– Mais j'ai entendu des voix ! insista Rû, les sourcils froncés.

– J'ai beaucoup toussé…

– Toussé ? Êtes-vous souffrant ? Le Dr Fresquière peut venir vous ausculter, ajouta Saint-Mars en se radoucissant aussitôt.

– À quoi bon ? Je suis à bout… Ah, mon cher geôlier, vous me regretterez !

Le gouverneur le contempla d'un air irrité avant de se tourner vers Antoine Rû :

– Il est vraiment très souffrant… Il délire.

– Le délire de mentir s'attrape comme la peste, répliqua l'homme au masque. Maintenant, je vous en prie, laissez-moi. J'ai besoin d'être seul pour recouvrer mes esprits.

Hébété, Baptiste vit de nouveau Saint-Mars s'incliner avec respect.

– Monsieur, je reviens vous apporter votre repas, intervint Antoine.

– Comme il vous plaira.

C'est à ce moment-là que l'incident se produisit. M. de Saint-Mars venait de sortir, et Antoine Rû s'apprêtait à en faire autant quand il laissa tomber son énorme trousseau de clés. Baptiste ne put s'empêcher de sursauter…

Chapitre 9

4 novembre 1771 Logement de la famille Dufeux, rue des Charrons, Paris

«… je n'ai pas pu m'empêcher de sursauter. Quand j'ai croisé le regard de Rû, j'ai su qu'il avait compris que j'entendais tout. Maintenant, je suis en danger de mort… »

Les mains tremblantes, Antonin posa le vieux carnet. Les pages suivantes avaient été arrachées.

Tant de questions tourbillonnaient dans son esprit…

Qui était réellement le prisonnier masqué ?

Qu'était-il arrivé à Baptiste après le 14 novembre 1703 ? À quelques jours près, c'était exactement soixante-huit ans plus tôt. S'il était encore en vie, il aurait un peu plus de quatre-vingts ans…

Comme son grand-père, réalisa-t-il subitement.

Et n'avait-il pas lu que Baptiste était apprenti chez un certain maître Jean qui avait une femme appelée Olivia, et une fille prénommée Mathilde ?

Sa grand-mère s'appelait Mathilde…

Il était impossible que ce soit une coïncidence.

En proie à un sentiment d'irréalité, Antonin se leva lentement. Autour de lui, tout était sombre, froid et silencieux, mais il se sentait brûlant comme s'il avait de la fièvre. Les bougies s'étaient presque entièrement consumées. Seules les flammes de l'âtre créaient un semblant de chaleur et de lumière.

C'est à ce moment-là qu'il perçut des bruits sourds dans l'atelier. Quelqu'un venait d'entrer… La porte claqua, un objet se fracassa par terre, puis il entendit des raclements étranges…

Terrifié, Antonin s'empara du carnet et, sans réfléchir, le jeta au feu. La gorge sèche, il chercha rapidement une cachette. L'armoire… Il s'y engouffra, tira les battants derrière lui et se blottit entre les vêtements suspendus. Il osait à peine respirer. Saisi de sueurs froides, il essaya de refouler l'affolement qui l'envahissait, l'étouffait peu à peu… Mais cette fois, la panique fut plus forte. Il ferma les yeux…

Et soudain, tout devint noir.

– Bois un peu de chocolat chaud, ça te fera du bien…

Clignant des yeux, Antonin se redressa lentement et s'appuya contre son oreiller. Il se sentait si faible…

Le soleil filtrait à travers la fenêtre de sa chambre. Paul, son père, était assis à côté de lui, l'air inquiet. Antonin prit le bol qu'il lui tendait et avala quelques gorgées de boisson chocolatée. Ce n'était que la deuxième fois de sa vie qu'il goûtait ce breuvage, rare et cher [1].

Il grimaça, n'appréciant pas son goût à la fois sucré et amer, et rendit le bol à son père.

– Merci…

– Encore !

Antonin secoua la tête.

– Bon… Heureusement, tu n'as plus de fièvre, déclara Paul en lui posant une main sur le front. Comment te sens-tu ?

Antonin l'observa en silence. Peu à peu, les souvenirs revenaient à son esprit…

La veille au soir, dissimulé dans l'armoire, il s'était évanoui. Et lorsqu'il avait repris connaissance, il se trouvait au lit, entouré de son père et de son grand-père ! Tous deux étaient revenus aussi mystérieusement qu'ils avaient disparu. À leur arrivée, ils avaient rangé l'atelier, d'où les bruits si inquiétants qu'Antonin avait perçus.

– Je vais mieux… Père, où étiez-vous ? J'ai eu tellement peur !

1. Le chocolat est connu à la cour de Louis XIV, et consommé, notamment par la reine Marie-Thérèse, son épouse, depuis peu. C'est une denrée luxueuse qui reste réservée à des privilégiés.

– Je t'expliquerai plus tard.

– Non, maintenant ! J'ai cru que vous aviez été enlevés !

– Enlevés ? Quelle idée ! Et quelle idée de te cacher au fond d'un placard où tu ne pouvais pas respirer ! Tu as eu un malaise, et par chance, la porte s'est ouverte quand tu es tombé.

– Mais où étiez-vous passés ?

– Nous avons dû accompagner quelqu'un de toute urgence.

– Qui ?

Paul fronça les sourcils.

– Ne pose pas de questions, s'il te plaît. Cela ne sert à rien.

– À rien ? Mais vous ne m'avez même pas laissé de mot pour m'expliquer où vous partiez ! s'indigna Antonin. Des gens m'ont dit qu'on vous avait emmenés de force, grand-père et toi ! Je suis resté ici tout seul, je ne savais pas où vous étiez, et j'ai cru que…

Sa gorge se noua, et il ne put retenir ses larmes.

– Oh, mon fils, pardon. Pardon…

Paul enfouit brièvement le visage dans le creux de ses mains, puis il ébaucha un sourire qu'il espérait rassurant :

– C'est à cause de la rumeur. Les mousquetaires sont en train d'enquêter…

– Quelle rumeur ?

– À propos du Masque de fer. Comme quoi il aurait été le frère aîné de Louis XIV. Notre roi n'aime pas ça…

– Mais quel rapport y a-t-il avec grand-père ?

– Les mousquetaires croyaient qu'il savait quelque chose.

– Et pourquoi ?

– Si seulement je pouvais t'en dire plus, soupira son père. Ils m'ont interrogé, moi aussi, mais évidemment, je n'avais rien à leur révéler. Pas plus que ton grand-père, d'ailleurs. Ils nous ont laissés repartir vers 11 heures du soir… Enfin ! Mais j'ai eu peur qu'ils nous retiennent la nuit entière.

Antonin le contempla attentivement. Son père lui cachait la vérité, il le sentait. Un court instant, il songea à parler du carnet… Mais curieusement, il se ravisa. Il questionnerait d'abord grand-pa quand ils se retrouveraient tous les deux.

– J'ai sommeil, murmura-t-il en fermant les yeux.

– C'est normal, tu as besoin de récupérer. Toi aussi, tu as passé une très mauvaise soirée… Et une nuit agitée. Tu as eu une poussée de fièvre comme lorsque tu étais petit.

Paul se leva, et se retourna vers son fils avant de quitter la chambre :

– J'allais oublier… Une jeune fille est passée prendre de tes nouvelles. Elle s'appelle Louisette.

Malgré la torpeur qui l'envahissait déjà, Antonin rouvrit les paupières.

– Louise, rectifia-t-il.

Et il ressentit une émotion joyeuse, presque légère, qui l'aida à s'endormir.

À son réveil, grand-père Alexandre était là. Le visage grave ; soucieux.

– Enfin ! Tu as meilleure mine. Tu as parlé de feuilles brûlées en dormant…

– Grand-pa !

L'esprit encore embrumé, Antonin lui prit la main et la serra fort dans la sienne.

– J'ai cru qu'il t'était arrivé quelque chose de grave…

Le vieil homme lui sourit avec gentillesse.

– Moi aussi, j'ai eu peur pour toi. Et pour ton père.

Il regarda Antonin droit dans les yeux et ajouta tout bas :

– Qu'as-tu fait de mon carnet ?

Mon ?

Chapitre 10

Une vérité en cache une autre

En état de choc, Antonin observa longuement son grand-père. Puis une seule question lui vint d'abord aux lèvres :

– Toi, grand-pa, tu... tu as changé de nom ?

– C'est une longue histoire, mon petit Antonin...

– Je ne suis pas petit, j'ai treize ans !

– Où est le carnet ? répéta le vieil homme.

– Je l'ai brûlé.

– Très bien. J'aurais dû en faire autant à l'époque.

Le cœur battant, Antonin ne le quittait pas des yeux, conscient qu'il s'apprêtait à découvrir un inconcevable secret.

– Dis-moi…

Le vieil homme jeta un rapide coup d'œil autour de lui, comme s'il craignait qu'on les épie.

– Ton arrière-grand-père Jean…

– Qu'est-ce qu'il a fait ?

– Il s'est occupé de moi comme si j'étais son fils. Comment as-tu trouvé le carnet ? s'enquit le vieil homme d'un ton presque inquisiteur.

Antonin le lui expliqua rapidement.

– Mais je n'aurais pas fouillé si vous m'aviez laissé un mot ! se justifia-t-il.

– On n'en a pas eu le temps. Je suis désolé. Tu l'as lu ? Jusqu'au bout ?

Antonin fit signe que oui.

– Donc tu sais.

– Quoi ?

– Que ton arrière-grand-père a perdu un bébé, un garçon, quand j'avais le même âge que toi.

– Oui… C'est triste. Mais il t'a adopté ensuite, c'est ça ? chuchota Antonin.

Le vieil homme sourit.

– Ce n'est pas si simple que ça. Parce que… Oh, et puis, autant que je t'explique tout, maintenant, marmonna-t-il en haussant les épaules.

Antonin le contempla avec un mélange d'appréhension et d'incrédulité.

– Jean était un homme très bon... Vraiment très bon, répéta son grand-père. J'étais orphelin... J'ai eu de la chance de tomber sur quelqu'un d'aussi généreux. Il n'y a qu'en sa présence que j'osais parler. Il m'écoutait toujours patiemment, sans me juger ni se moquer malgré mon bégaiement...

– Tu bégayais vraiment beaucoup ?

– Oui. Les mots s'emmêlaient, je bafouillais, je me bloquais... C'était très dur. Alors je préférais me taire... Sauf avec Jean. Je... Enfin, tu peux comprendre, Antonin : je lui ai dit que Rû savait à mon sujet. À partir de ce moment-là, Jean et moi étions tous les deux en danger. On nous aurait interrogés, peut-être torturés... Alors il m'a fait fuir. Après, le destin nous a en quelque sorte aidés... Même s'il a fait le malheur de centaines d'autres gens, ajouta-t-il d'un air grave.

Antonin fronça les sourcils.

– Je ne comprends pas...

– C'est pourtant simple : Jean m'a envoyé chez des amis à lui, en Angleterre. Mon départ a eu lieu le 26 novembre 1703, donc moins de quinze jours après ma dernière visite au prisonnier masqué et l'incident...

– Quand tu as sursauté à cause des clés tombées par terre ?

Son grand-père acquiesça.

– Pendant la traversée de la Manche, ce 26 novembre, il y a eu une très violente tempête et de nombreux naufrages[1]… Mon bateau est un des rares à être arrivés à bon port, mais Jean a déclaré à Saint-Mars, qui me recherchait, que je faisais partie des victimes.

– Il a menti… et Saint-Mars l'a cru ? s'étonna Antonin.

– Pourquoi en aurait-il été autrement ? Jean était un maître artisan respectable ! Et il s'est débrouillé pour justifier mon départ. Il a prétendu que je devais rejoindre un oncle éloigné qui venait de retrouver ma trace à l'orphelinat où je vivais avant… Mais que mon bateau avait coulé. Quelle malchance pour Saint-Mars… qui en avait après ma peau ! ironisa le vieil homme. Comme Rû lui avait rapporté l'incident des clés, il tenait à vérifier ce que j'avais entendu de la bouche du prisonnier. C'était une question de vie ou de mort.

– Et…il n'a pas interrogé mon arrière-grand-père ?

– Si. Mais Jean a affirmé que je ne parlais pas, que je n'entendais pas, et qu'il arrivait que je sursaute, oui… Un réflexe ! Saint-Mars ne pouvait pas prouver le contraire, et la parole de Jean valait davantage que celle de Rû.

– Et ensuite ? murmura Antonin, saisi.

– Ensuite, j'ai changé de nom et de vie. Je suis devenu Alexandre Blaye, apprenti ferronnier à Londres. Et quand je suis rentré en France plus de dix ans plus tard, j'ai épousé Mathilde, la fille de Jean… Ta future grand-mère que tu n'as malheureusement jamais connue. C'était quelqu'un ! J'en avais toujours été très amoureux…

1. Tempête historique qui dura plusieurs jours.

– Tu l'as écrit dans ton carnet !

– Je l'ai écrit à une époque où elle ne s'intéressait pas à moi, précisa son grand-père. Mais après, j'ai réussi à conquérir son cœur ! Officiellement, elle est devenue Mme Blaye, mais tout le monde continuait à l'appeler Mme Dufeux. Et je me suis fait appeler M. Dufeux… sans qu'on me pose aucune question.

– C'est incroyable… Totalement incroyable, répéta Antonin, médusé. Père est au courant ?

– Naturellement. Mais il ne devait rien te révéler sans mon accord. C'est notre grand secret dont tu ne devras jamais parler à aucune personne extérieure à notre famille… Jamais, tu me le promets ? Il en va de notre sécurité. On pourrait encore essayer de m'interroger… De vous interroger aussi. Déjà, hier, nous l'avons échappé belle !

Ému, Antonin leva la main et fit le serment de ne jamais divulguer ce que son grand-père lui avait confié.

Chapitre 11

Mascarades

Mais les révélations n'étaient pas terminées…

Après un court silence, grand-père Alexandre reprit son récit, perdu dans ses pensées, comme s'il se parlait à lui-même :

– Finalement, je n'ai été au service du prisonnier qu'une dizaine de jours. Il est mort le 19 novembre, un jeudi…

– Et ton carnet s'arrête le 14 novembre, se remémora Antonin.

– Exact. Et entre ce jour-là et mon départ précipité en Angleterre, il s'est passé des choses importantes. Je te les raconte ? demanda-t-il en regardant son petit fils. Si tu v…

– Sûr que je veux ! s'exclama Antonin.

Son grand-père sourit.

– C'est une histoire vraie, contrairement à celles que je te contais le soir quand tu étais petit…

Antonin fit mine de fermer les yeux.

– « Il était une fois un garçon appelé Baptiste… », commença-t-il.

– … qui, le matin du 20 novembre 1703, il y a donc presque soixante-dix ans, se retrouva dans le bureau de l'impressionnant gouverneur de la prison de la Bastille…, poursuivit grand-père Alexandre sur le même ton.

Il marqua un silence avant de continuer normalement :

– Ce 20 novembre, j'ignorais que l'homme au masque était décédé la nuit précédente. Dans le bureau de M. de Saint-Mars, il y avait deux autres hommes : un certain M. du Junca, lieutenant du roi à la Bastille, et M. Rosarges. Les trois dirigeants de la prison… qui se sont entretenus entre eux, comme si je n'étais pas là.

– Parce qu'ils te croyaient sourd et muet. Mais toi, qu'est-ce que tu as entendu, grand-pa ? interrogea Antonin avec une pointe d'amusement.

Maintenant qu'il s'était ressaisi, toutes ces confidences lui semblaient palpitantes !

– Qu'ils allaient enterrer le prisonnier au cimetière de Saint-Paul sous le nom de M. de Marchiel. Une fausse identité, j'en suis sûr. Ensuite, ils ont exigé qu'on nettoie sa cellule de fond en comble. Avec ce fameux Rû, on a tout récuré et on a fait brûler ses affaires : son linge, ses draps… On a jeté le mobilier au feu, et plus tard, je sais que les murs ont été grattés et blanchis à la chaux. Rien n'aurait dû rester de son passage sur terre… Rien !

Antonin le regarda en fronçant légèrement les sourcils.

– Mais il s'est passé autre chose, pas vrai ?

– Tu le devines déjà…

Son grand-père soupira.

– Eh bien, il m'avait fait de la peine. Malgré moi, je m'étais presque attaché à lui. Je sais que cela peut paraître bizarre… Il était si imposant, si poignant… Si mystérieux ! Alors, j'ai voulu garder un souvenir : j'ai volé son livre de prières. Je l'ai glissé sous ma chemise…

– Quoi ? Et Rû ne t'a pas vu ?

– Je ne crois pas. Sinon je ne serais jamais sorti de la Bastille ce jour-là…

Antonin restait suspendu à ses lèvres, n'osant plus l'interrompre.

– Toujours est-il que, le soir même, j'ai examiné le missel en passant la flamme d'une bougie au-dessus des pages. Je me souvenais de ce que le prisonnier m'avait raconté à propos de l'encre sympathique. Je croyais qu'il délirait mais… J'ai découvert des bouts de phrases çà et là.

– Il avait écrit à l'intérieur ?

– Oui. Avec du jus de citron.

– Et qu'est-ce que tu as lu ?

– « Je suis… Danger ».

– Il était en danger ?

– Peut-être, oui… À moins qu'il ait inscrit son nom. Quand les trois dirigeants de la Bastille ont signé le registre de décès du prisonnier, j'étais présent dans le bureau, tu te souviens ?

Antonin acquiesça en silence.

– M. de Saint-Mars a dit : « Ainsi, c'est fini. Ce à quoi notre si célèbre détenu a été employé avant d'être à Pignerol ne se saura donc jamais. » M. Rosarges lui a répondu qu'il n'y avait plus de danger depuis longtemps… Et M. du Junca a ajouté : « Vous parlez d'Eustache Danger, le valet de Fouquet à la prison de Pignerol ? » Saint-Mars lui a aussitôt ordonné de se taire…

Grand-père Alexandre hocha la tête avant d'ajouter :

– Peut-être que l'homme au masque de fer était tout simplement cet Eustache Danger.

– Un valet ?

– Oui, mais pas n'importe lequel. Un valet au service d'Henriette d'Angleterre [1], une parente de Louis XIV. Henriette et son frère Charles, le roi d'Angleterre, s'écrivaient. Eustache portait leurs missives. Dans l'une des lettres, le roi Charles aurait annoncé à sa sœur qu'il voulait devenir catholique [2], et que Louis XIV était au courant. Un accord secret entre eux, un secret d'État… Mais Eustache aurait lu ce courrier en cachette, et il en aurait parlé à la Cour. Louis XIV l'a fait arrêter en 1669.

1. La sœur de Charles II (1630-1685), roi d'Angleterre, d'Écosse et d'Irlande de 1660 à sa mort. Henriette épousa Philippe de France, duc d'Orléans, le frère de Louis XIV.
2. Le roi Henri VIII ayant rompu avec Rome et le pape au XVIe siècle, l'anglicanisme est la religion la plus couramment pratiquée en Angleterre.

– Comment le sais-tu ?

– Je me suis renseigné, évidemment ! Je connais du monde… Notre atelier est réputé, et les amis de mes amis sont mes amis ! Mais à ce sujet, je ne t'en dirai pas plus, ajouta le vieil homme d'un air malicieux.

– Tu gardes quand même quelques secrets ? s'efforça de plaisanter Antonin.

– Oh, si peu…

– Mais je ne comprends pas, grand-pa… Pourquoi Louis XIV a emprisonné un valet pendant aussi longtemps ? Pourquoi il ne l'a pas condamné à mort ?

– Parce que le grand roi ne pouvait pas agir ainsi. C'était un monarque de droit divin… Il devait rendre compte de ses actes à Dieu !

Antonin resta silencieux quelques instants, comprenant peu à peu ce que cela impliquait.

– Grand-pa, puisque toi, tu sais que l'homme au masque était un valet, tu peux faire taire la rumeur qui court en ce moment !

– Je le pourrais, oui… Et les amis de Voltaire, comme les anti-monarchistes de tous bords, n'en seraient pas contents du tout ! Ils se réjouissent que la réputation de Louis XIV soit salie. Les proches du roi, au contraire, seraient ravis. Les mousquetaires qui nous ont interrogés hier cherchent des témoins ! Mais Antonin, moi, je ne peux absolument rien dire…

– Parce que Baptiste est mort officiellement il y a très longtemps et que, de toute façon, tu n'avais aucune preuve concrète, compléta Antonin.

Son grand-père sourit.

– Exactement. Mais entre nous, je sais une chose sûre : si le prisonnier était un valet, le gouverneur Saint-Mars, lui, voulait que tout le monde croie qu'il s'agissait d'un homme de rang. C'est sans doute la principale raison pour laquelle il lui a fait porter un masque de fer à une époque.

– Le prisonnier te l'a dit lui-même…

– Exactement, répéta le vieil homme. Lui aussi a créé une rumeur… Une rumeur à son avantage, puisque tout le monde a cru qu'il était le geôlier d'une personnalité du royaume. Seuls Louis XIV et certains ministres étaient au courant de la vérité… Une vérité que personne, même pas notre roi actuel, ne connaîtra jamais !

Chapitre 12

Le dernier secret

Antonin resta silencieux un long moment.

– Tu sais tant de choses, grand-pa, dont tu ne peux parler à personne…

– Si. À ton père, à toi… À ta grand-mère autrefois…

– Elle était au courant ?

– Forcément ! Elle m'a connu quand j'avais ton âge ! s'esclaffa son grand-père. Tu es sûr que tu as bien lu mon carnet ?

Antonin rit à son tour, surtout pour dissimuler sa gêne. À vrai dire, il avait parcouru les pages, jaunies par le temps, un peu rapidement, et il n'était pas sûr d'avoir tout retenu! Mais ce n'était pas grave. Si besoin, il pourrait toujours interroger son grand-père… qui était comme un livre vivant!

– Trêve de plaisanterie, maintenant, j'ai un problème à résoudre, reprit Alexandre. Je voudrais comprendre comment les mousquetaires sont remontés jusqu'à nous…

– Je crois qu'on aura la réponse d'ici peu, intervint alors le père d'Antonin en apparaissant sur le seuil de la chambre. Un jeune homme que nous connaissons bien nous doit quelques explications. Il m'attend à l'atelier, et je vais le chercher… Si Antonin est rétabli.

– Je suis en pleine forme ! s'écria aussitôt son fils.

Quelques instants plus tard, Paul revint avec Théophile, l'ami d'Antonin.

– Bonjour! fit Antonin, surpris et intrigué.

– Tu as l'air d'aller déjà beaucoup mieux! observa Théophile.

– Oui… J'ai bien dormi. Et toi, ça va?

– Mieux aussi!

– Pourquoi « mieux »? Tu as été malade ?

Théophile jeta un bref coup d'œil à Paul Dufeux avant de s'avancer d'un pas hésitant.

– Non… J'ai juste eu très peur qu'à cause de moi ton père et ton grand-père soient emprisonnés à la Bastille.

– Quoi? Qu'est-ce que tu racontes? s'écria Antonin.

Théophile baissa les yeux, visiblement gêné.

– C'est… Enfin, c'est ma faute si des mousquetaires les ont emmenés pour les interroger…

Ses yeux.

Leurs yeux les avaient trahis.

Inimaginable… Insensé !

Tout en marchant le long de la Seine cet après-midi-là, Antonin ne cessait de penser aux révélations ahurissantes de Théophile. Dire qu'il pensait bien le connaître ! En même temps, se raisonna-t-il, avant les évènements de ces derniers jours, son ami n'avait eu aucune raison de lui confier que son arrière-grand-père avait été porte-clés à la Bastille… Qu'il s'appelait Antoine Larue… Alias Rû ! Quand ils se voyaient tous les deux, ils bavardaient, plaisantaient et s'amusaient en toute insouciance. Donc, oui, il était normal que Théophile ne lui ait jamais rien dit…

Sauf quand il avait commencé à s'interroger au sujet de grand-père Alexandre, et à établir un lien avec son arrière-grand-père Antoine. En effet, très longtemps auparavant, ce dernier avait parlé à ses proches du garçon sourd et muet, aux yeux vairons, qui avait été au service du Masque de fer pendant quelques jours. Il avait raconté tout ce qu'il avait vu, ainsi que ses suppositions… Et son histoire, maintes fois répétée parmi les siens, était devenue comme une légende familiale à laquelle Théophile n'avait jamais vraiment cru.

Mais quand il avait fait la connaissance d'Antonin un an

auparavant, il s'était souvenu de ce qui se disait chez lui à propos du fameux garçon aux yeux vairons…

Car Antonin avait un œil bleu et l'autre marron. Un signe distinctif tellement rare !

Par la suite, Théophile avait rencontré le grand-père d'Antonin à l'atelier… Cet atelier de ferronnerie rue des Charrons qui, comme par hasard, fabriquait des clés pour les cellules de la Bastille. Il avait découvert qu'Antonin possédait exactement le même regard que le vieil homme. Certes, ce dernier n'était pas muet… Mais le dénommé Baptiste l'avait-il jamais été ? s'était-il demandé, se remémorant les dires de son arrière-grand-père, rapportés par ses parents. Et si Alexandre n'était autre que Baptiste ? Le physique, le métier et l'âge correspondaient. Que de coïncidences…

Puis, quelques jours plus tôt, il avait entendu des mousquetaires discuter à l'auberge où il travaillait comme serveur. Les soldats du roi, s'inquiétant des rumeurs sur le Masque de fer, étaient prêts à tout pour y couper court. Alors Théophile avait voulu se rendre intéressant : il leur avait parlé du grand-père d'Antonin qui, pensait-il, était peut-être un témoin qui les aiderait dans leur mission. S'il avait vu juste, il recevrait une forte récompense dont toute sa famille bénéficierait ! Et ils avaient tant besoin d'argent…

Seulement voilà, aussi malin fût-il, son ami ne connaîtrait jamais la vérité, songea Antonin avec soulagement. Après avoir tranquillement écouté les explications de Théophile, grand-père Alexandre lui avait lancé :

– Tu as une imagination débordante ! Peut-être devrais-tu envisager une carrière de dramaturge comme Molière[1] ! Figure-toi, Théophile, qu'en 1703, quand ton arrière-grand-père était employé à la Bastille, moi, je me trouvais en Angleterre !

À quelques jours près, l'alibi du vieil homme collait parfaitement… Plus de soixante ans plus tard, la faille était invérifiable.

Le secret resterait gardé au sein de sa famille pour toujours.

Antonin s'assit sur la berge de la Seine et regarda l'eau dont la surface brillait sous le soleil. Le flot dérivait lentement, charriant des branchages, des feuilles mortes et des saletés qui se mélangeraient plus tard aux vagues de la mer et seraient transformés… Un peu comme le temps métamorphosait ou apaisait les rumeurs et les émotions. Enfin, en principe, se dit-il, se rappelant la manière dont son grand-père s'était emporté lorsqu'il avait voulu essayer le masque de fer fabriqué par son père. Au moins comprenait-il sa réaction, maintenant. Ce qui lui importait presque davantage que toutes ces découvertes plus stupéfiantes les unes que les autres qu'il venait de faire !

Il réfléchissait encore à tout cela quand, non loin, il aperçut une petite silhouette féminine. Reconnaissant Louise, il se leva d'un bond et se dirigea vers elle.

– Bonjour…

1. Jean-Baptiste Poquelin, dit Molière (1622-1673), qui avait diverti la cour de Louis XIV, était déjà très célèbre.

Les joues de Louise rosirent légèrement.

– Bonjour. Tu vas mieux ? Il paraît que tu as eu de la fièvre.

– Oui… Mais j'ai dormi comme un loir, et maintenant, je suis en pleine forme ! Mon père m'a dit que tu es venue prendre de mes nouvelles. C'est gentil…

– Ma mère et moi, on s'inquiétait pour toi.

Antonin lui sourit. Elle était encore plus jolie que dans ses souvenirs.

– Finalement, il n'y avait pas de quoi. Tu vois, mon grand-père et mon père sont revenus…

– Heureusement ! Tu sais pourquoi ils sont partis sans te prévenir ?

– C'est une longue histoire…

– Tu me la raconteras ?

– Oh… Il n'y a pas grand-chose à dire.

Louise l'observa d'un air intrigué.

– Pas grand-chose ou… trop ? répliqua-t-elle, taquine.

Après une légère hésitation, elle reprit :

– Je me suis posé une question… Je n'ai pas osé t'en parler l'autre jour, ce n'était pas le moment. Mais je me rappelle que dans ton atelier, il y avait un drôle de masque, par terre. Un masque en fer… Tu te souviens ?

Antonin acquiesça en silence.

– C'est pour un déguisement ? Un bal masqué ?

– Non, pour un des prisonniers de la Bastille, un noble, paraît-il.

Il veut sûrement imiter le fameux Masque de fer, histoire d'être à la mode ![1] Bon, si on allait se promener ?

Et, spontanément, il prit la main de Louise…

1. Au XVIIIe siècle, certains prisonniers appartenant à la noblesse souhaitaient être masqués afin de préserver leur anonymat lors de leurs moments de sortie, par exemple pour aller à la messe, en prévision de leur libération. En général, ils optaient pour un simple loup. Le dernier captif masqué fut signalé en 1789 à la forteresse prussienne de Spandau. Mais précisons qu'au-delà des murs des prisons, le masque faisait partie des accessoires de déguisement courants lors de festivités et même au quotidien : ainsi chez les dames de la haute société qui en portaient pour préserver leur teint…

Épilogue

À partir de 1771 naquit une autre rumeur à propos du Masque de fer : on commença à raconter qu'il aurait été un valet de Nicolas Fouquet… Un valet nommé Eustache Danger.

La famille Dufeux n'avait pourtant jamais parlé.

Parallèlement, on continua également à croire que le Masque de fer avait été un frère aîné secret de Louis XIV.

Ou un frère jumeau…

Et d'autres personnes plus ou moins célèbres.

D’une rumeur à l’autre, une véritable légende se créa autour de l’identité jamais réellement divulguée du prisonnier masqué. Les historiens intensifièrent leurs recherches. Dès 1769, dans son *Traité des différentes sortes de preuves qui servent à établir la vérité dans l’histoire*, le père Griffet (1698-1771) avait déjà apporté les précisions suivantes: « Le souvenir du prisonnier masqué s'était conservé parmi les officiers, soldats et domestiques de la prison, et nombre de témoins oculaires l’avaient vu passer dans la cour pour se rendre à la messe. Dès qu’il fut mort, on avait brûlé tout ce qui était généralement à son usage comme linge, habits, matelas, couvertures ; on avait gratté et blanchi les murs de sa chambre, changé les carreaux et fait disparaître les traces de son séjour, de peur qu’il n’eût caché quelques billets ou quelque marque qui eût fait connaître son nom. »

Mais plus on chercha, plus le mystère s’épaissit…

L'homme au masque de fer

Louis XIV

dit le Roi-Soleil (1638-1715 : il règne à partir de 1643 et pendant soixante-douze ans. Un règne très long ! C'est lui qui ordonne l'arrestation de celui qui deviendra le "Masque de fer" en 1669.
Le marquis de Louvois (1641-1691), son ministre - il est secrétaire d'État à la guerre -, transmet ses ordres à Bénigne de Saint-Mars, le geôlier du Masque de fer.

Louis XV

dit le "Bien-Aimé" (1710-1774) : arrière-petit-fils de Louis XIV, il devient roi en 1715.
Comme il n'a que cinq ans à ce moment-là, son grand-oncle, le duc Philippe d'Orléans, est proclamé régent du royaume jusqu'en 1723, date à laquelle Louis XV prend officiellement le contrôle du gouvernement. La rumeur au sujet du Masque de fer, illustrée par notre histoire, le concerne particulièrement à la fin de son règne.

De multiples identités

Depuis le XVIIe, de nombreux historiens et écrivains se sont passionnés pour le mystère du prisonnier masqué. Très rares sont les personnes l'ayant approché. Sans la correspondance de M. de Saint-Mars avec, entre autres, le marquis de Louvois, et les informations rédigées par Étienne du Junca dans son registre d'écrou, on aurait peut-être pu douter de son existence ! À ce jour, on dénombre cinquante-deux hypothèses sur son identité, certaines particulièrement extraordinaires : outre celles qui sont abordées dans notre histoire, on a également prétendu qu'il s'agissait de Molière, ou encore d'une femme. Toutefois, il semblerait que l'identité la plus plausible soit celle d'Eustache Danger, le valet de Fouquet[1].

© Mary Evans/Rue des Archives

1. *Nicolas Fouquet (1615-1680) fut le surintendant des Finances de Louis XIV, très puissant, jeté dans la même prison (Pignerol) que le Masque de fer dès 1661.*

À propos du masque de fer :

Nul ne sait exactement comment était ce masque : un casque de chevalier ? Un masque particulier façonné par un ferronnier à la demande du gouverneur Saint-Mars ? En novembre 1703, sur le registre de décès du prisonnier signé par M. Rosarges et M. Reilhe, chirurgien de la Bastille, il fut précisé que le détenu portait un masque de velours noir. Ce qui est certain, c'est que le prisonnier ne garda pas son masque en permanence, et surtout pas un masque de fer. Faute de quoi il aurait contracté une infection de la peau (entre autres maladies). Or, il vécut plutôt longtemps...

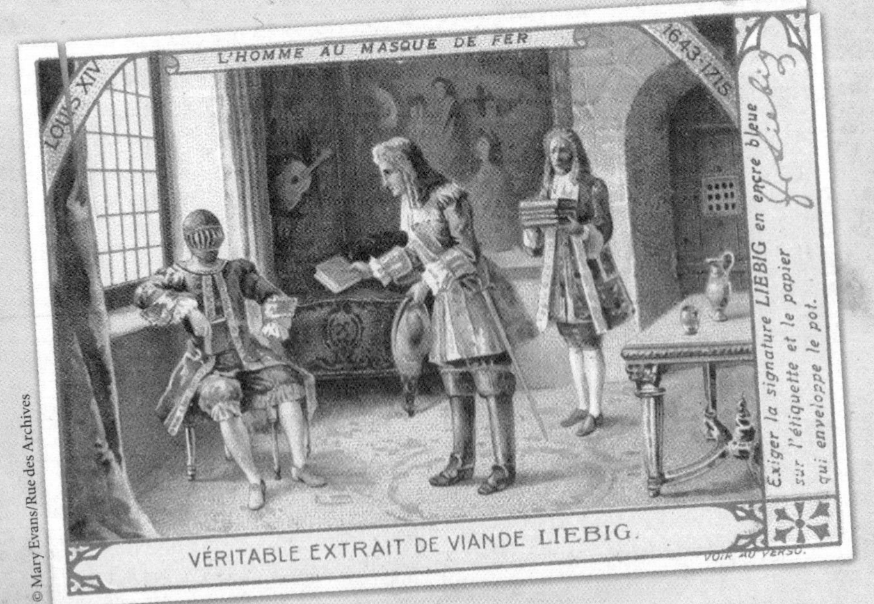

LES PRISONS DE L'HOMME AU MASQUE DE FER

La forteresse de Pignerol

Situé dans les Alpes, entre Briançon et Turin, ce fort, rasé en 1696, se composait essentiellement d'un donjon et de cinq tours. Le prisonnier, pas encore masqué à ce moment-là, y est incarcéré de 1669 à 1681, en même temps que Nicolas Fouquet, l'ancien surintendant des Finances de Louis XIV, et le comte de Lauzun. Ce dernier creuse une galerie à l'intérieur du conduit de cheminée de sa chambre et parvient à communiquer avec Fouquet, ce que le gouverneur Saint-Mars, leur geôlier, devait impérativement empêcher. Notre prisonnier, devenu le valet de Fouquet à partir de 1675, est donc en contact avec ces deux proches de Louis XIV, détenteurs de nombreux secrets d'États.

La forteresse d'Exilles

Ce fort imposant, également dans les Alpes, pas très loin de Briançon, entre la France et l'Italie existe toujours. Le prisonnier y est détenu de 1681 à 1687. Son visage est masqué d'une simple cagoule pendant son transfert depuis Pignerol.

©Eder/Shutterstock

La forteresse de l'île Sainte-Marguerite

Située dans la baie de Cannes, elle est aujourd'hui un musée où l'on peut visiter la cellule du prisonnier masqué, qui y fut incarcéré de 1687 à 1698. C'est lors de son transfert d'Exilles à Sainte-Marguerite qu'il porta un masque de fer pour la première fois.

©Antonio Abrignani/Shutterstock

La forteresse de la Bastille

Construite à partir de 1370, la forteresse, située à l'est de Paris, est à l'origine une bastille: un bastion pour protéger la porte Saint-Antoine. Dès le XVIIe siècle, la Bastille n'a plus aucun rôle militaire.

Le cardinal Richelieu en fait une prison où seront enfermés les ennemis du pouvoir. Les condamnés n'étaient pas jugés avant d'être incarcérés : un ordre du roi, par lettre de cachet, suffisait pour être embastillé.

La prise de la Bastille en 1789 et sa démolition signent la fin de l'Ancien régime et les débuts de la République.
Le prisonnier masqué y est incarcéré de 1698 à sa mort en 1703. Étienne du Junca, lieutenant du roi à la Bastille, nota son arrivée en ces termes :

"Du jeudi 18e de septembre, à 3 heures après midi, M. de Saint-Mars, gouverneur du château de la Bastille, est arrivé pour sa première entrée venant de son gouvernement des îles Sainte-Marguerite et Honorat, ayant avec lui dans sa litière un ancien prisonnier qu'il avait à Pignerol, lequel il fait tenir toujours masqué, dont le nom ne se dit pas et, l'ayant fait mettre en descendant de sa litière dans la première chambre de la tour de la Bazinière len attendant la nuit, pour le mettre et mener moi-même à 9 heures du soir avec M. de Rosarges, un des sergents que M. le Gouverneur a amenés, dans la troisième chambre, seul, de la Bertaudière, que j'avais fait meubler de toutes choses quelques jours avant son arrivée, en ayant reçu l'ordre de M. de Saint-Mars, lequel prisonnier sera servi et soigné par M. de Rosarges et que M. le Gouverneur nourrira."

Extrait de l'acte de décès du prisonnier masqué, rédigé par Étienne du Junca

"Du même jeudi 19e de novembre 1703, ce prisonnier inconnu, toujours masqué d'un masque de velours noir, que M. de Saint-Mars, gouverneur avait mené avec lui en venant des îles Sainte-Marguerite, qu'il gardait depuis longtemps, lequel s'étant trouvé hier un peu mal en sortant de la messe, il est mort le jourd'hui sur les 10 heures du soir, sans avoir eu de grande maladie, il ne se put pas moins. M. Giraut, notre aumônier, l'a exhorté au moment de mourir, et ce prisonnier inconnu gardé depuis si longtemps a été enterré le mardi à 4 heures de l'après-midi, 20 novembre, dans le cimetière Saint-Paul, notre paroisse; sur le registre mortuaire, on a donné un nom aussi inconnu que M. de Rosarges, major, et M. Reilhe, chirurgien, ont signé sur le registre."

En marge: "J'ai appris du depuis (sic) qu'on l'avait nommé sur le registre M. de Marchiel, qu'on a payé 40 livres d'enterrement."

La place de la Bastille ainsi que le quartier tout autour recèlent quelques vestiges de la forteresse

Cachot de la Bastille découvert sous l'oreillon du bastion le 23 avril 1790

Note de l'auteur

Cet ouvrage s'appuie essentiellement sur les recherches historiques et les réflexions rapportées dans Le masque de fer, entre histoire et légende *de Jean-Christophe Petitfils, éditions Perrin, 2003. Je me suis basée, aussi rigoureusement que possible, sur les rares faits avérés concernant le mystérieux prisonnier masqué, ainsi que sur deux des principales suppositions concernant son identité. Les historiens en citent encore cinquante… autant de sources d'inspiration et de questionnements passionnants ! Néanmoins, bien que les nombreuses énigmes concernant le prisonnier masqué n'aient jamais été vraiment résolues, une hypothèse de vérité semble aujourd'hui particulièrement plausible. Vous aurez deviné laquelle…*